PICASSO ET LES MAÎTRES

ALBUM DE L'EXPOSITION

Anne Baldassari et Marie-Laure Bernadac

rmn

L'exposition *Picasso et les Maîtres* est placée sous le haut patronage
de Monsieur Nicolas Sarkozy, Président de la République

Cette exposition est organisée par
la Réunion des musées nationaux, le musée national Picasso, le musée du Louvre et le musée d'Orsay
et avec la participation de la National Gallery de Londres.

Elle est présentée à
Paris, Galeries nationales du Grand Palais, du 8 octobre 2008 au 2 février 2009
Paris, musée du Louvre, du 9 octobre 2008 au 2 février 2009
Paris, musée d'Orsay, du 8 octobre 2008 au 1er février 2009
Londres, The National Gallery, du 25 février au 7 juin 2009

L'exposition bénéficie du concours exceptionnel du Museo National del Prado de Madrid
et du Museu Picasso de Barcelone.

Cette exposition est réalisée grâce au soutien
de LVMH / Moët Hennessy . Louis Vuitton

Comité d'honneur

Marie-Christine Labourdette
Directrice des musées de France

Jean-Ludovic Silicani
Président du Conseil d'administration de la Réunion des musées nationaux

Thomas Grenon
Administrateur général de la Réunion des musées nationaux

Anne Baldassari
Directrice du musée national Picasso

Henry Loyrette
Président-Directeur du musée du Louvre

Guy Cogeval
Président de l'établissement public du Musée d'Orsay

Miguel Zugaza Miranda
Directeur du Museo Nacional del Prado, Madrid

Josep Serra
Directeur du Museu Picasso, Barcelone

Nicholas Penny
Directeur de la National Gallery, Londres

Commissariat

Anne Baldassari
Conservateur général du Patrimoine, directrice du musée national Picasso

Marie-Laure Bernadac
Conservateur général du Patrimoine,
chargée de l'art contemporain au musée du Louvre

Assistées par Anaïs Bonnel

Scénographie

Jean-François Bodin et Marc Vallet,
agence Bodin et associés

Couverture : Pablo Picasso, *Les Ménines d'après Velázquez* (détail), Cannes, 19 septembre 1957,
Barcelone, Museu Picasso. © Museu Picasso. Barcelona / Gasull Fotografia

49, rue Étienne-Marcel - 75039 Paris cedex 01

ISBN : 978-2-7118-5523-0
EA 10 5523

Sommaire

PEINTRES

« Yo, Picasso »

Le *Portrait de José Ruiz-Blasco*, père de Picasso, fut peint par José Ponce Puente dans une manière toute académique. Un clair-obscur théâtral surexpose avec un détail de leçon d'anatomie, la face livide de Don José, dont le regard fixe et les orbites creusées révèlent le profond découragement. Figure du peintre éternel, meurtri et trahi par la peinture, père, professeur à l'école des Beaux-Arts, conservateur de musée, peintre spécialisé dans les natures mortes florales ou animalières, José Ruiz-Blasco est pour son fils l'incarnation d'un métier qui s'épuise dans les survivances provincialistes de l'académisme fin-de-siècle. Il fut le premier « maître » de Picasso qui, dès sa petite enfance, commença auprès de lui son apprentissage. La légende veut que, stupéfait du génie et du métier de son fils encore adolescent, son père lui ait finalement remis ses couleurs et ses pinceaux, signant par ce geste son propre renoncement à la peinture.

Peintres avec palette et pinceaux, El Greco, Rembrandt, Goya, Poussin, Delacroix, Ingres, Cézanne, Gauguin, Van Gogh affirment dans une extraordinaire suite d'autoportraits leurs positions atypiques, marginales et révolutionnaires. Picasso les choisit avec de nombreux autres comme guides dans son long travail d'apprentissage, de prédation et de réinvention de la peinture. Il s'attachera à les portraiturer, souvent par accident comme si leurs visages revenaient au hasard d'une obsession impossible à contenir : « Imaginez-vous que j'ai fait un portrait de Rembrandt. [...] J'ai commencé à griffonner. C'est devenu Rembrandt [...] avec son turban, ses fourrures, et son œil d'éléphant, vous savez bien[1]. »

Peintres illustres, ils sont tous entrés en apprentissage dans l'enfance, guidés par des maîtres obscurs et laborieux, ils firent des rencontres prodigieuses, leurs innovations leur valurent d'être exclus des honneurs ou des salons, puis reconnus, adulés, étouffés par leurs charges ou leurs succès. Ils lui serviront de modèles dans une identification perpétuelle où Picasso cherche des repères pour se soutenir dans son combat avec la peinture. Il se glisse dans leur peau comme dans cet *Autoportrait à la perruque*, peint à la manière de Vélasquez. Il dialogue avec l'*Autoportrait* de Poussin dans la séquence des autoportraits de la période surréaliste. Il prend les couleurs et les traits du Greco, de Gauguin. Il moque Degas dans ses gravures en l'imaginant, vétilleux documentaliste de bordel. « Ce n'est pas ce que l'artiste fait qui compte, mais ce qu'il est. [...] Ce qui nous intéresse, c'est l'inquiétude de Cézanne, c'est l'enseignement de Cézanne, ce sont les tourments de Van Gogh, c'est-à-dire le drame de l'homme. Le reste est faux[2]. » Le « pauvre Van Gogh » sera l'emblème et la doublure de Picasso qui prendra parfois ses traits depuis le début du siècle et singulièrement à partir de la fin des années 1937, alors que les œuvres du « peintre dégénéré » sont brûlées en autodafé à Berlin. Picasso pourra aussi s'écrier « Van Gogh c'est moi ! »

Peintre « moderne », disant à leur instar, « je », « moi », « *Yo, Picasso* », comme il l'inscrit sur son autoportrait de 1901, Picasso se revendique comme auteur et sujet de sa propre histoire, de son propre drame. Il assumera à travers ce dialogue tendu avec *ses* maîtres qui durera jusqu'à la mort, ce que la peinture lui fait faire : « ce qu'elle veut ».

1. Propos de Picasso cités par Kahnweiler (Daniel-Henry), « Huit entretiens avec Picasso », *in Le Point*, Mulhouse, n° XLII, octobre 1952, p. 22-30. Entretien, rue La Boétie, 6 février 1934.
2. Zervos (Christian), « Conversation avec Picasso », *in Cahiers d'art*, Paris, numéro spécial, 1935, p. 173-178.

PABLO PICASSO
Autoportrait à la perruque, Barcelone, 1897
Huile sur toile, H. 55,8 cm ; L. 46 cm
Barcelone, Museu Picasso

« Alors il me donne ses couleurs et ses pinceaux et plus jamais il ne peint. »

— JAIME SABARTÈS, *PICASSO, PORTRAITS ET SOUVENIRS*, PARIS, LOUIS CARRÉ ET MAXIMILIEN VOX, 1946, P. 39 —

REMBRANDT VAN RIJN
Rembrandt au chevalet, 1660
Huile sur toile, H. 111 cm ; L. 85 cm
Paris, musée du Louvre

PABLO PICASSO
Yo, Picasso, 1901
Huile sur toile, H. 73,5 cm ; L. 60,5 cm
Collection particulière

PAUL GAUGUIN
Portrait de Gauguin à la palette, hiver 1893-1894
Huile sur toile, H. 92 cm ; L. 73 cm
Collection particulière

MODÈLES

La copie de la copie

Élève, dès l'âge de onze ans, de l'école des Beaux-Arts de La Corogne, Picasso poursuit sa formation dans les académies de Barcelone puis de Madrid. La copie d'après l'Antique, qui forme le cœur de cet apprentissage, dicte une importante série de fusains exécutés en 1894-1896 où Picasso se convainc d'une suprématie de la statuaire grecque : « Raphaël est un grand maître. Vélasquez est un grand maître. Le Greco est un grand maître, mais le secret de la beauté plastique se trouve plus loin : chez les Grecs au temps de Périclès[1]. » Ces études, exemplaires des modalités classiques de rendu des volumes par le modelé et le traitement des lumières, témoignent néanmoins d'un art déjà proprement picassien. Décadrage, décentrement, mise en scène fragmentaire, dramatisation des ombres portées dessinent des lectures insolites qui préfigurent l'originalité de son œuvre futur.

Avec la « période bleue » puis la « période rose », ce système de transcription des volumes se voit remis en cause dans des toiles planes où s'effacent progressivement contours et modelé des figures, pour laisser place à un espace isomorphe traversé de modulations chromatiques anti-naturalistes. Associé à des thèmes et sujets inspirés de la Grèce des Kouros, le « premier classicisme » picassien s'avèrerait bien plutôt archaïque. Il est incarné par *Garçon guidant un cheval* (1905-1906), où Picasso transpose la composition du *Saint Martin et le Mendiant* du Greco (1597-1599), avec lequel il forme un grand diptyque emblématique. Le tableau combine à sa source grecquienne, des références directes à *L'Abreuvoir* de Gauguin, à l'hédonisme du *Bain turc* d'Ingres, révélé au Salon d'automne de 1906, à la statuaire ibérique dont le Louvre vient de lui révéler l'importance avec la présentation des fouilles d'Osuna, aux fresques décoratives de Puvis de Chavannes, aux nus de Cézanne. Cette mixité de sources génère un faisceau complexe de « signes » qui vont constituer le vocabulaire fondateur de son œuvre : nus androgynes, hiératisme des figures, monochromie générique rouge, terre, sable évoquant un paysage des confins. Le proto-cubisme des *Demoiselles d'Avignon* ou des *Trois femmes*, portera à son comble cette relecture primitiviste et contrariée des canons classiques.

Au seuil des années vingt, à une étape cruciale de la révolution cubiste, Picasso reprend là où il l'avait laissée la question de la *faible profondeur*. Il y revient autrement à travers l'erogénéisation de la surface par le pastel, la sanguine – une terre rouge proprement génésique qui résonne à l'unisson des ocres de la période de Gosól. L'expérience de Pompéi, faite en 1917, où Picasso redécouvre fresque et statuaire antiques, joue un rôle majeur dans son évocation de l'exhumation des corps, saisis dans le temps, sculptés par l'instant ultime.

Durant l'été 1921, lors d'une villégiature à Fontainebleau, Picasso découvre dans les galeries et jardins du Château, les décors du Primatice comme les toiles et sculptures de l'école française du XVIIe siècle. Leur influence s'affirme dans les monumentales *Grande Baigneuse* et *Trois femmes à la fontaine* de 1921, dans lesquelles il analyse et transpose le thème canonique des *Trois Grâces*. Ces grandes compositions mettent également en jeu des références directes à l'art de Renoir. La posture de sa *Baigneuse assise dans un paysage (Eurydice)* [1895-1900] ou encore la manière rouge et le sujet de *La Coiffure* (1900-1901) dont il s'était inspiré dès 1906 dans son grand tableau, *La Coiffure*[2], participent des sources manifestes de son œuvre contemporain. Les motifs mythologiques qui s'illustrent dans ce cycle des Grâces, baigneuses et femmes drapées à l'antique comme leur caractère allégorique ou l'architecture des corps et des gestes, contribuent à former le corpus du « deuxième classicisme » dont rend compte le grand tableau, *L'Entretien* (1923) consacré aux figures de Mars et Venus. Dans un registre inédit, il traduit un « sujet » emprunté au *Triomphe de Pan* (1636) de Poussin, comme aux fresques de Pompéi. Sur un fond plan brossé dans sa largeur pour bloquer le surgissement de tout phénomène illusionniste, la grille linéaire du cubisme se défait et se tord pour former le nœud de deux corps enlacés.

1. Cossio Del Pomar (Felipe), *Con las Buscadores del Camino*, Madrid, Ediciones Ulises, 1932, p. 109.
2. Très affecté par la mort du maître qu'il reconnaissait comme le plus grand coloriste de son temps, il acquiert auprès de Paul Rosenberg un ensemble de ses œuvres.

« Quands j'avais leur âge, je dessinais comme Raphaël, mais il m'a fallu toute une vie pour apprendre à dessiner comme un enfant. »

— ROLAND PENROSE, *PICASSO*, TRAD. PAR JACQUES CHAVY ET PAUL PEYRELEVADE, PARIS, FLAMMARION, 1982, P. 361 —

JEAN-AUGUSTE-DOMINIQUE INGRES
Éliézer et Rébecca d'après Poussin, vers 1805
Huile sur toile, H. 46 cm ; L. 37 cm
Marseille, musée des Beaux-Arts

PABLO PICASSO
Trois femmes à la fontaine, Fontainebleau, été 1921
Sanguine sur toile, H. 200 cm ; L. 161 cm
Paris, musée Picasso, dation Pablo Picasso 1979

PIERRE AUGUSTE RENOIR
Baigneuse assise dans un paysage, dite *Eurydice*, 1885-1896
Huile sur toile, H. 116 cm ; L. 89 cm
Paris, musée Picasso, donation Pablo Picasso 1973

PABLO PICASSO
Grande baigneuse, 1921
Huile sur toile, H. 182 cm ; L. 101 cm
Paris, musée de l'Orangerie,
collection Jean Walter et Paul Guillaume

COULEURS

Indigomanie et peintures noires

Les violets et les bleus de Manet furent les premiers à faire scandale lors du Salon de 1881. Par la suite, la réaction anti-impressionniste s'attaquera avec violence au symptôme de « l'indigomanie ». « L'œil de la plupart d'entre eux s'est monomanisé[1] » s'indigne Huysmans qui va jusqu'à considérer Cézanne comme « un artiste aux rétines malades qui, dans l'aperception exaspérée de sa vue, découvrit les prodromes d'un nouvel art[2] ». Le bleu, acquis de la sensibilité moderne, s'identifie désormais au courant de la révolution en peinture. Moyen d'une expressivité achrome, il trouve aux yeux de Picasso le caractère théorique d'une *couleur manifeste*. La « période bleue » s'impose à lui comme le moyen de revendiquer son camp, celui de Manet, Renoir, Cézanne et Van Gogh, des bleus-verts, bleu de Prusse, bleu violacé, outremer et outrageant.

À cette dimension chromatique, s'ajoute un expressionnisme tout grecquien qui déforme les figures et bleuit les chairs. Ses bleu nuit et bleu glacier, ses couleurs plombées ou acidulées comme son tracé baroque imprègnent de leur atmosphère ésotérique l'œuvre de Picasso depuis *L'Enterrement de Casagemas* (1901), inspirée du *Songe de Philippe II* de Greco et de la peinture d'ex-voto, jusqu'à l'allégorie *La Vie* (1903), où il met à nouveau en scène son ami le poète Carles Casagemas qui s'était suicidé en 1901. Tonalité funèbre, intensité dramatique des portraits, symbolique fœtale des corps lovés sur eux-mêmes, souffrance mystique des prostituées syphilitiques de l'hôpital Saint-Lazare, peuplent durant ces années les toiles picassiennes de leurs ombres décolorées.

Bleu aussi, mais d'un esprit combinant Goya, Manet et le Douanier Rousseau, *La Famille Soler*, grand tableau de groupe peint en 1903, se trouve flanqué des portraits symétriques des deux époux Soler pour composer le retable de quelque autel domestique.

« Je vois souvent une lumière et une ombre[3] », par ces mots Picasso tente de décrire l'instauration de la « vision première » qui préside, dans son œuvre, à la genèse picturale. Ombre et lumière fondent ainsi la peinture valoriste qui marque ses premières toiles des années 1896-1898, empruntes d'une obscurité native traversée d'éclats brefs, de déchirements chromatiques, de fulgurances. Au fond du puits de ces tableaux qui constituent de fait la « période noire » de l'artiste, prennent forme les contours de visages fantomatiques à la Greco ou Vélasquez, éclairés par l'appareil blême des cols flasques ou roides, gaufrés et tuyautés qui soutiennent comme des mentonnières les têtes hagardes des gentilshommes. Dans cette galerie en clair-obscur de portraits décapités, Picasso passe en revue l'austère manière des maîtres espagnols arrachant la substance de la vie à l'oubli. Sur le noir et blanc de cette construction première, viennent s'afficher entre 1901 et 1909 les bleus puis les rouges et les verts des « couleurs ajoutées ». Avec le cubisme synthétique, à partir de 1910, Picasso retournera à la grille d'un chromatisme essentiel, camaïeu d'ombre et de lumière, teinté de terre, troublé de sable. Dans leur démontage syntaxique de la forme, les « grands échafaudages hantés » de ses panneaux en grisaille font du *portrait* leur ligne de défense contre les vertiges de l'abstraction. Les architectures complexes du *Portrait d'Ambroise Vollard* ou de *L'Homme à la guitare* évoquent aussi les tableaux emblématiques de Ribera ou Zurbarán, dédiés à la représentation d'ermites, de saints ou de philosophes. L'écart délibéré introduit par ces tableaux avec leurs modèles substitue, ainsi à la restitution d'une ressemblance supposée, le schéma d'une figure de sens. Les traits inconnus, effacés, occultés de ces personnages dont le nom seul tient lieu d'identité projettent le tableau dans une dimension proprement mentale, vouée à la saisie d'existences légendaires. Ces *fantasmagraphies* renvoient à la théorie picassienne des « attributs », indices illusionnistes encryptés dans la composition comme pour arrimer la peinture au réel.

1. Huysmans (Joris Karl), « L'Exposition des Indépendants en 1880 », *in L'Art moderne*, Paris, Charpentier, 1883, p. 85-123.
2. Huysmans (Joris Karl) cité *in* Coquiot (Gustave), *Cézanne*, Paris, Librairie Ollendorff, 1913, p. 81.
3. Zervos (Christian), « Conversation avec Picasso », *in Cahiers d'Art*, vol. X, n°7-10, 1935, p. 173.

« Si mes personnages de l'époque bleue s'étiraient, c'est probablement à l'influence du Greco qu'ils le doivent. »

— GEORGES BRASSAÏ, *CONVERSATIONS AVEC PICASSO*, PARIS, GALLIMARD, 1964, P. 176.—

PABLO PICASSO
La Famille Soler, 1903
Huile sur toile, H. 150 cm ; L. 200 cm
Liège, musée d'Art moderne
et d'Art contemporain

PABLO PICASSO
L'Enterrement de Casagemas (ou *Évocation*), 1901
Huile sur toile, H. 150,5 cm ; L. 90,5 cm
Paris, musée d'Art moderne de la Ville de Paris

EL GRECO (DOMÊNIKOS THEOTOKOPOULOS, DIT)
Le Songe de Philippe II, 1579
Huile sur bois, H. 55,1 cm ; L. 33,8 cm
Londres, The National Gallery

« Je vois souvent une lumière et une ombre. »

—CHRITIAN ZERVOS, « CONVERSATIONS AVEC PICASSO », *IN CAHIERS D'ART*, VOL. X, N°7-10, 1935, P. 173—

PABLO PICASSO
Portrait d'un inconnu, Barcelone, 1899
Huile sur toile, H. 47,5 cm ; L. 35,2 cm
Barcelone, Museu Picasso

EL GRECO (DOMÊNIKOS THEOTOKOPOULOS, DIT)
Portrait d'un jeune gentilhomme, 1600-1610
Huile sur toile, H. 65 cm ; L. 49 cm
Madrid, Museo Nacional del Prado

PABLO PICASSO
Portrait de Jaime Sabartés, Royan, 22 Octobre 1939
Huile sur toile, H. 46 cm ; L. 38 cm
Barcelone, Museu Picasso

TAROTS
Gentilshommes du Siècle d'or

Un dernier personnage surgit en 1966 dans l'iconographie picassienne et domine cette période au point d'en devenir l'emblème : c'est le gentilhomme du Siècle d'or, mi-espagnol, mi-hollandais, vêtu d'habits chamarrés, portant fraise, cape, bottes et grand chapeau. « C'est arrivé quand Picasso s'est mis à étudier Rembrandt » dit Jacqueline à Malraux. D'autres sources ont été évoquées, mais qu'ils viennent de Rembrandt, de Vélasquez ou de Shakespeare, de la barbiche de Piero Crommelynck ou de celle de son père, tous sont des hommes travestis en mousquetaires, formant la relève des arlequins et saltimbanques des années antérieures. Gentilshommes burlesques du roman picaresque, héros baroques du Grand Siècle, aventuriers chevaleresques, ils témoignent d'un retour aux sources littéraires. Ils surgissent pendant la convalescence de l'artiste, suite à son opération de 1965, comme si sentant ses forces viriles l'abandonner, Picasso puisait une nouvelle jeunesse dans les équipées galantes de ses mousquetaires. Ils sont parfois associés au jeune Cupidon, armé de sa flèche, rappel de l'aiguillon du désir, comme dans ce *Mousquetaire et Cupidon* de février 1969. Malraux, lors de l'exposition de ces œuvres au Palais des Papes à Avignon en 1970 et 1973, rapprocha à juste titre ces figures plates de celles, emblématiques, des cartes du jeu de tarot : fantoches de carnaval, elles nous disent que derrière le masque, il n'y a rien à voir. Ces figures flamboyantes sont autant de signes d'un retour de son *hispanidad* ; Picasso matador affronte son passé et livre dans cette épopée son dernier combat contre la mort.

À côté de ces grands portraits d'hommes en pied, Picasso réalise de nombreux couples aux accents de Siècle d'or : *Le Couple* de 1967, combine ainsi la figure du mousquetaire à celle du modèle au verre de vin, nouvel hommage à Rembrandt et à son *Autoportrait avec Saskia* (1636, Dresde).

Enfin, parallèlement aux figures de mousquetaires, Picasso peint une galerie de portraits d'hommes à collerette, d'hommes à la pipe, écrivant ou lisant, tel le *Buste d'homme écrivant* de 1971. Par opposition aux mousquetaires, ces portraits sont tous caractérisés, individualisés. Cette confrontation avec le visage humain le ramène à la confrontation avec lui-même, et chacun de ces portraits est une forme d'autoportrait.

Mais le véritable autoportrait de cette période est celui du *Vieil homme assis* (1970-1971), ce tableau flamboyant qui condense en une seule image des références explicites, tant à Van Gogh par son chapeau, Cézanne avec le *Jardinier Vallier*, Matisse avec sa *Blouse roumaine*, qu'à Renoir et sa main tronquée.

DIEGO VELÁZQUEZ
Portrait du nain Sebastián de Morra, 1644
Huile sur toile, H. 106 cm ; L. 81 cm
Madrid, Museo Nacional del Prado

PABLO PICASSO
Homme assis à l'épée et à la fleur
Mougins, 2 août – 27 septembre 1969
Huile sur toile, H. 146 cm ; L. 114 cm
Collection particulière, Courtesy Fundación Almine y Bernard Ruiz Picasso para el Arte

JUAN BAUTISTA MARTINEZ MAZO
Don Adrian Pulido Pareja, 1647
Huile sur toile, H. 203,8 cm ; L. 114,3 cm
Londres, The National Gallery

PABLO PICASSO
Mousquetaire à l'épée assis, Mougins, 19 juillet 1969
Huile sur toile, H. 195 cm ; L. 130 cm
Collection particulière

VARIATION DELACROIX

Les Femmes d'Alger

Entre le 13 décembre 1955 et le 14 février 1954, Picasso exécute quinze peintures et de multiples dessins préparatoires, d'après le tableau de Delacroix, *Femmes d'Alger dans leur appartement*, (la version du Louvre datée de 1834 , et celle plus tardive de Montpellier, de 1847-1849). Delacroix peignit ce tableau à son retour du voyage au Maroc avec le Comte de Mornay. Il eut en effet la chance de pouvoir visiter à Alger une maison musulmane et fut très impressionné par la vision des femmes : « C'est beau ! C'est comme le temps d'Homère » s'exlama-t-il. Les variations de Picasso sont titrées de A à O ; on compte six tableaux de petites dimensions, deux tableaux verticaux avec une figure isolée et sept grandes compositions.

Les motivations du choix de Delacroix et des Femmes d'Alger sont multiples : elles vont de la ressemblance fortuite de Jacqueline, sa nouvelle compagne avec la femme au narguilé assise de profil, au mythe d'un orientalisme sensuel et voluptueux, en passant par des concordances historiques, comme la mort récente de Matisse en novembre 1954 – donc un hommage à la couleur – au début de l'insurrection algérienne. Picasso, en fait, pensait à Delacroix depuis longtemps ; dès 1940, il dessine dans un carnet à Royan les personnages du tableau, la composition et même la palette colorée du peintre. Puis en juin 1954, dans un autre carnet il fait une copie fidèle de l'*Autoportrait* de Delacroix du musée du Louvre. Françoise Gilot raconte qu'il allait souvent au Louvre voir ce tableau. Lorsqu'en 1947, Georges Salles lui propose de montrer un choix de ses œuvres dans la Grande Galerie, il les mettra à coté de Delacroix.

Au fur et à mesure des études, Picasso change le nombre des personnages, leur position, renversant sur le dos la femme assise pour en faire un nu couché, et retrouvant ainsi un thème qui lui est familier, celui de la dormeuse et de la femme assise. Tantôt les formes féminines sont toutes en rondeurs et arabesques, tantôt il contraint les corps dans des formes rigoureuses et anguleuses. Les deux dernières versions sont très opposées, l'une est en grisaille, géométrique et stylisée, l'autre déborde de couleurs. Les harmonies chatoyantes de rouge, bleu et jaune vif sont une concession à l'Orient et surtout un hommage à Matisse, « Il m'a légué ses odalisques, dit-il à Daniel-Henry Kahnweiler, en somme pourquoi est-ce que l'on n'hériterait pas de ses amis ? »

Picasso s'en donne à cœur joie : d'une scène d'intérieur secrète et langoureuse, il fait une scène dynamique d'un érotisme agressif et joyeux. La femme du fond se transforme parfois en phallus et se confond avec l'arrondi de la fenêtre mauresque. L'unité dans cette profusion est donnée par le quadrillage décoratif de céramiques dans lequel s'insèrent les personnages. Cette scène d'intérieur avec des femmes nues et un rideau qui rappelle le *Harem* et les *Demoiselles d'Avignon*, permet aussi à l'artiste d'étudier l'intégration d'une figure à un fonds décoratif. Picasso expérimente sur un motif donné diverses écritures picturales et tire les leçons du simultanéisme issu du cubisme, qui contraint les corps à se présenter à la fois de face et de profil.

EUGÈNE DELACROIX
Femmes d'Alger dans leur appartement, 1834
Huile sur toile, H. 180 cm ; L. 229 cm
Paris, musée du Louvre

PABLO PICASSO
Les Femmes d'Alger (version A),
Paris, 13 décembre 1954
Huile sur toile, H. 61,5 cm ; L. 72,2 cm
Hartford, Wadsworth Atheneum Museum of Art,
don Carey Walker Foundation

EUG DELACROIX

VARIATION VELÁZQUEZ

Les Ménines

Du 17 août au 30 décembre 1957, enfermé dans les pièces vides et spécialement aménagées du second étage de La Californie, Picasso exécute cinquante-huit tableaux dont quarante-quatre *Ménines*, neuf *Pigeons*, *Le Piano* (extrait du cycle des Ménines), trois paysages et un portrait de Jacqueline. La première version, contrairement à la série des Femmes d'Alger, est la plus fidèle et la plus aboutie. D'emblée il pose le problème, les explications de détail viennent ensuite. À part le format, passé de la verticale à l'horizontale, tous les éléments du tableau original y figurent. Le peintre à gauche, immense, quasiment fondu dans son chevalet, est traité avec ce même graphisme serré que le *Portrait d'un peintre* d'après El Greco, ou les *Demoiselles des bords de la Seine* d'après Courbet (1950). Plus on avance vers la droite du tableau, plus les personnages se schématisent et perdent de leur substance. Picasso fait coïncider sur la même toile diverses écritures picturales, qu'il développera tour à tour, pour privilégier finalement une facture simple et dépouillée faite d'écrans de couleur et de gros traits géométriques, extrapolation du cubisme synthétique. Le noir et blanc lui permet de structurer l'espace, d'étudier l'emplacement des diverses figures. Les couleurs ne viendront qu'après, éclatantes, à base de rouge, vert et jaune vifs. Très vite, Picasso se concentre sur l'Infante, dont il fait le personnage central. Seule, en buste ou en pied, ou accompagnée de ses ménines, elle est traitée alternativement en formes simplifiées, en à-plats, ou en traits nerveux et superposés. Picasso pousse encore plus loin la variété des styles, passant de facettes imbriquées multicolores à un dépouillement matissien. De cette scène énigmatique mettant en abîme l'essence de la peinture, Picasso garde l'esprit de l'exercice pictural. Il tente également de suggérer la profondeur de l'espace perspectif par de nombreux écrans, rectangles, portes et fenêtres qui quadrillent la composition. Ce travail de laboratoire, d'autopsie au cours duquel Picasso analyse, dissèque et recompose le chef-d'œuvre de son prédécesseur, lui apporte une liberté de style extraordinaire, un enthousiasme vorace, qui lui permet de poser les jalons du futur style tardif. Signes schématiques pour les mains et les pieds, graphisme enfantin, que l'on retrouvera dans la série *Le Peintre et le modèle*, de 1963 à 1965, écriture barbouillée et informe, faite de gros traits nerveux, telle qu'elle apparaît dans la *Ménine* du 17 novembre (nº VI). Les Ménines représentent également un premier retour à l'Espagne du Siècle d'or, qui s'accentuera pendant la période de Vauvenargues pour triompher avec les gentilshommes du Siècle d'or de la période d'Avignon.

PABLO PICASSO
L'Infante Marie Marguerite,
Cannes, 14 septembre 1957
Huile sur toile, H. 100 cm ; L. 81 cm
Barcelone, Museu Picasso

'est encore meilleur que les Le Nain. Les Ménines, quel tableau !
uelle réalité ! Vélasquez est le vrai peintre de la réalité.
ue ses autres tableaux soient bons ou mauvais,
elui-ci, en tout cas, est admirablement, parfaitement réussi. »

DANIEL-HENRY KAHNWEILER, « GESPRÄCHE MIT PICASSO », *JAHRESRING 59/60*, TRAD. PAR ISABELLE KALINOWSKI, STUTTGART, 1959.—

GO VELÁZQUEZ (non exposé)
Famille de Philippe IV, dit *Les Ménines*, 1656
ile sur toile, H. 318 cm ; L. 276 cm
drid, Museo Nacional del Prado

PABLO PICASSO
Les Ménines d'après Velázquez, Cannes, 19 septembre 1957
Huile sur toile, H. 161 cm ; L. 129 cm
Barcelone, Museu Picasso

VARIATION MANET

Le Déjeuner sur l'herbe

« Quand je vois le Déjeuner sur l'herbe de Manet, je me dis des douleurs pour plus tard » écrit Picasso au dos d'une enveloppe en 1932. Cette petite phrase lourde de sens, et surprenante par son caractère prémonitoire, en dit long sur la nature profonde de la relation Picasso-Manet, l'intensité de ce dialogue et sa fécondité : en 1903, une parodie de l'*Olympia*, en 1919, *Les Amoureux*, dans les années cinquante, des pastiches de *L'Empereur Maximilien* et de *Lola de Valence*. Dès 1954, il consigne dans un carnet les têtes des personnages. Manet le hante en fait depuis longtemps. Il est le peintre de la citation, le fondateur de la modernité, et le plus espagnol.

En 1863, Édouard Manet présente son *Déjeuner sur l'herbe* au Salon des refusés. Le scandale fait son succès et l'impose comme une œuvre fondatrice de la peinture moderne : la juxtaposition du corps nu de la femme au premier plan et des deux hommes habillés qui l'entourent, si elle reprend la composition du *Concert champêtre* du Titien (anciennement attribué à Giorgione), choque par son réalisme, que ne justifie plus aucun prétexte mythologique. Entre le mois d'août 1959 et le mois de juillet 1962, Picasso réalise sur ce thème une série de vingt-sept toiles, plus de cent quarante dessins, mais aussi des linogravures, des maquettes… Une production prolifique qui témoigne de l'intensité du dialogue instauré. Cette scène sylvestre permet à Picasso d'évoquer la lumière des sous-bois, le vert sombre et profond de la clairière : un décor exceptionnel dans son œuvre, qui renvoie aux *Nus dans la forêt* et aux *Paysages de la rue des Bois* (1908). Pour chaque image, Picasso change de langage. Commençant par des aplats, il passe successivement d'un style très fouillé à une écriture en tourbillons, à de larges traits nerveusement brossés. La série des *Déjeuners* se différencie des précédentes en ce sens qu'elle permet à Picasso de sortir du thème pour retrouver ses préoccupations personnelles : le *Nu penché en avant*, le dialogue entre le peintre et le modèle, maintes fois étudiés.

Dans la version la plus grande (Vauvenargues, 3 mars–20 août 1960) Picasso a respecté la position des personnages, ainsi que l'environnement (les arbres, la clairière, la rivière), la dominante bleue, verte et rose du tableau de Manet, et la nature morte au premier plan. Mais il a supprimé l'un des deux hommes pour mettre l'accent sur la relation entre le causeur à droite et la femme monumentale à gauche, confrontation qui le ramène malgré lui au dialogue fondateur entre le peintre et le modèle, de la même façon que le nu penché en avant rappelle un motif qui lui est cher depuis 1944.

Toutes les phases de cette recherche sont visibles dans les innombrables dessins qui accompagnent la série, pour former ce que Douglas Cooper appelle le « laboratoire de l'image », dans lequel il distingue quatre étapes : la partie de campagne, la baignade, la randonnée nocturne, et l'idylle des temps classiques. Picasso est revenu à plusieurs reprises sur ce tableau, comme s'il ne pouvait se détacher de ce sujet essentiel. Paradoxalement, la peinture plate et silencieuse de Manet aura donné naissance, violée par Picasso, à une peinture bavarde et à la sculpture. En effet, cette composition sera réalisée en béton par Carl Nesjar dans le jardin du Moderna Museet de Stockholm d'après les petites maquettes en carton conservées au musée Picasso.

ÉDOUARD MANET
Le Déjeuner sur l'herbe, 1863
Huile sur toile, H. 208 cm ; L. 264,5 cm
Paris, musée d'Orsay

PABLO PICASSO
Le Déjeuner sur l'herbe d'après Manet, 27 février 1960
Huile sur toile, H. 114 cm ; L. 146 cm
Londres, Nahmad Collection

VARIATION DAVID ET POUSSIN

L'Enlèvement des Sabines, Le Massacre des Innocents

Les toiles de *L'Enlèvement des Sabines*, réalisées entre le 24 octobre 1962 et le 7 février 1963, constituent le dernier sujet historique de Picasso, suscité sans doute par les événements menaçants de Cuba. Ce travail est le résultat d'une commande pour le Salon de mai de 1963, sur le thème de l'*Entrée des Croisés à Constantinople* de Delacroix.

Picasso renonce finalement à traiter ce sujet et, suite aux longues soirées passées en compagnie d'Hélène Parmelin et Édouard Pignon à projeter des diapositives de tableaux de Poussin et David, il entame, avec difficulté et dans le doute, cet ensemble de toiles sur le thème de la guerre, du bourreau et de la victime. Elles ne relèvent plus des variations, ni d'une série d'après un seul tableau. Picasso y mêle en effet plusieurs iconographies, plusieurs sources picturales. Il s'inspire de deux œuvres conservées au musée du Louvre, celle de David, réalisée en 1799, et une autre de Poussin, datée de 1637-1638, relatant l'épisode légendaire où les Romains s'emparèrent des Sabines afin de les prendre pour épouses, dans la Rome du VIIIe siècle. Mais il part aussi de la composition du *Massacre des Innocents* de Poussin (1625), dont l'iconographie chrétienne représentant le massacre par Hérode des nouveaux-nés de Bethléem, l'a fasciné par sa cruauté. La série comporte principalement deux petites toiles qui transcrivent la composition d'ensemble et deux grandes toiles verticales se concentrant sur le guerrier à cheval et la femme à l'enfant.

Comme à son habitude, Picasso mêle à la grande histoire des événements personnels, d'où l'apparition, dans certaines études, de la chute d'une femme à bicyclette qui se trouve à terre, écrasée par le pied d'un guerrier casqué. Les anachronismes sont nombreux, cohabitations d'architectures antiques et modernes, bonnet phrygien sur le cavalier romain, et le mélange des deux tableaux complique l'identification des sources. Mais ce qui intéresse finalement Picasso dans ces scènes, ce n'est plus l'héroïque Hersilia du tableau de David, qui tente d'apaiser le combat, mais le pied sauvage du guerrier qui écrase l'enfant ou la femme, et la violence de l'agresseur à cheval. Une scène est colorée, l'autre en grisaille.
Dans cette version, le point de vue est celui, agrandi et déformé, d'un gros plan cinématographique. Ce dernier combat, après celui des *Massacres en Corée* (1951), renvoie à *Guernica* (1937). On retrouve en effet les mêmes protagonistes : le cheval, l'homme à l'épée et la femme à l'enfant, symbole des victimes innocentes.

NICOLAS POUSSIN (non exposé)
Le Massacre des Innocents, vers 1625
Huile sur toile, H. 147 cm ; L. 171 cm
Chantilly, musée Condé

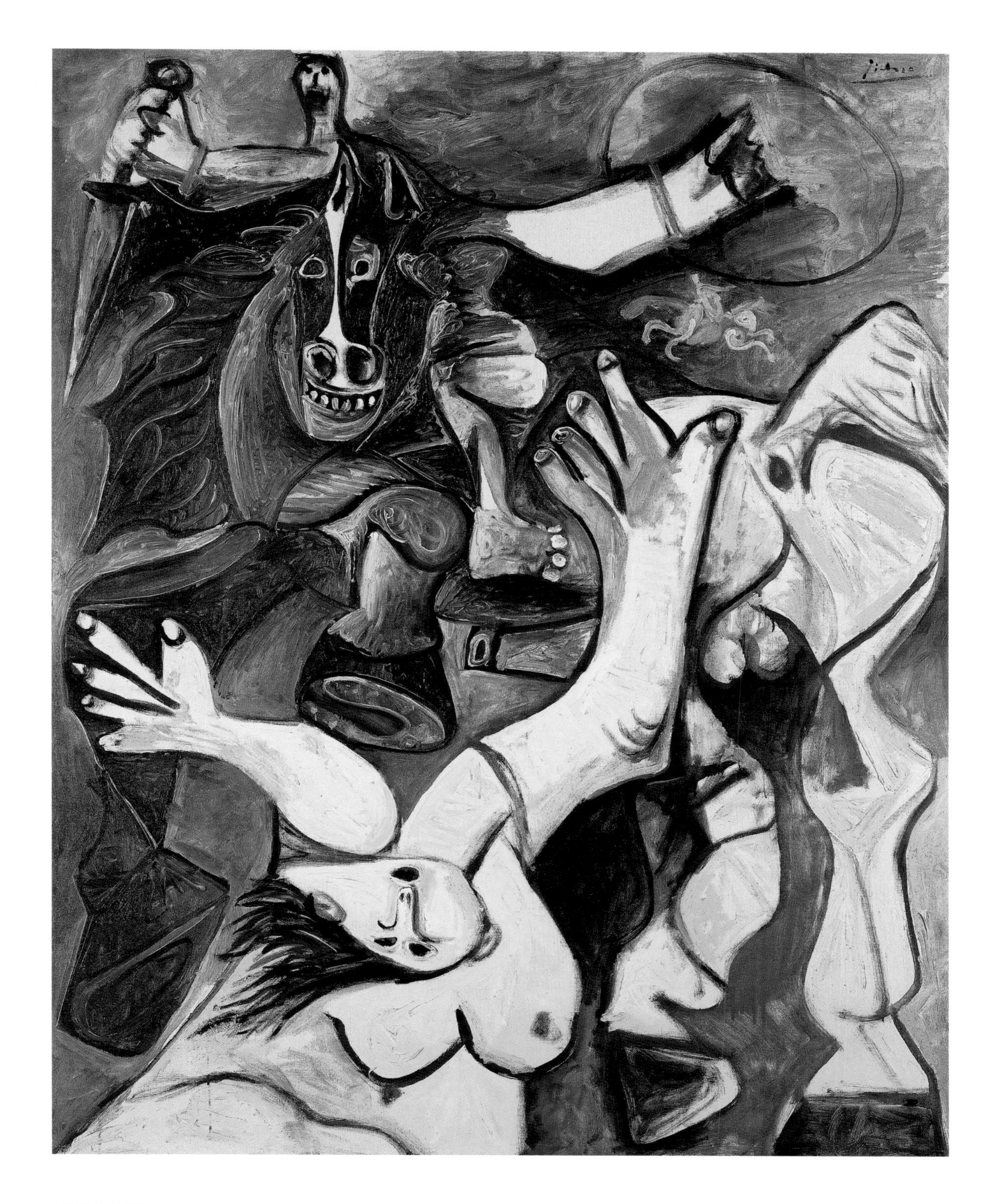

PABLO PICASSO
L'Enlèvement des Sabines, Mougins, 2-4 novembre 1962
Huile sur toile, H. 161,5 cm ; L. 130 cm
Bâle, Fondation Beyeler

« C'est à partir de cette soirée que Picasso a commencé sa série dite des Sabines, et des Massacres des Innocents. Il a souffert sous Poussin et sous David un peu comme sous les Ménines.

NICOLAS POUSSIN
L'Enlèvement des Sabines, 1637-1638
Huile sur toile, H. 159 cm ; L. 206 cm
Paris, musée du Louvre

*"C'est déjà tellement difficile quand on est tout seul ! disait-il.
Quelle idée on a de faire entrer un autre peintre dans l'atelier !..." »*

— HÉLÈNE PARMELIN, *VOYAGE EN PICASSO*, PARIS, ÉDITIONS ROBERT LAFFONT, 1980, P. 77 —

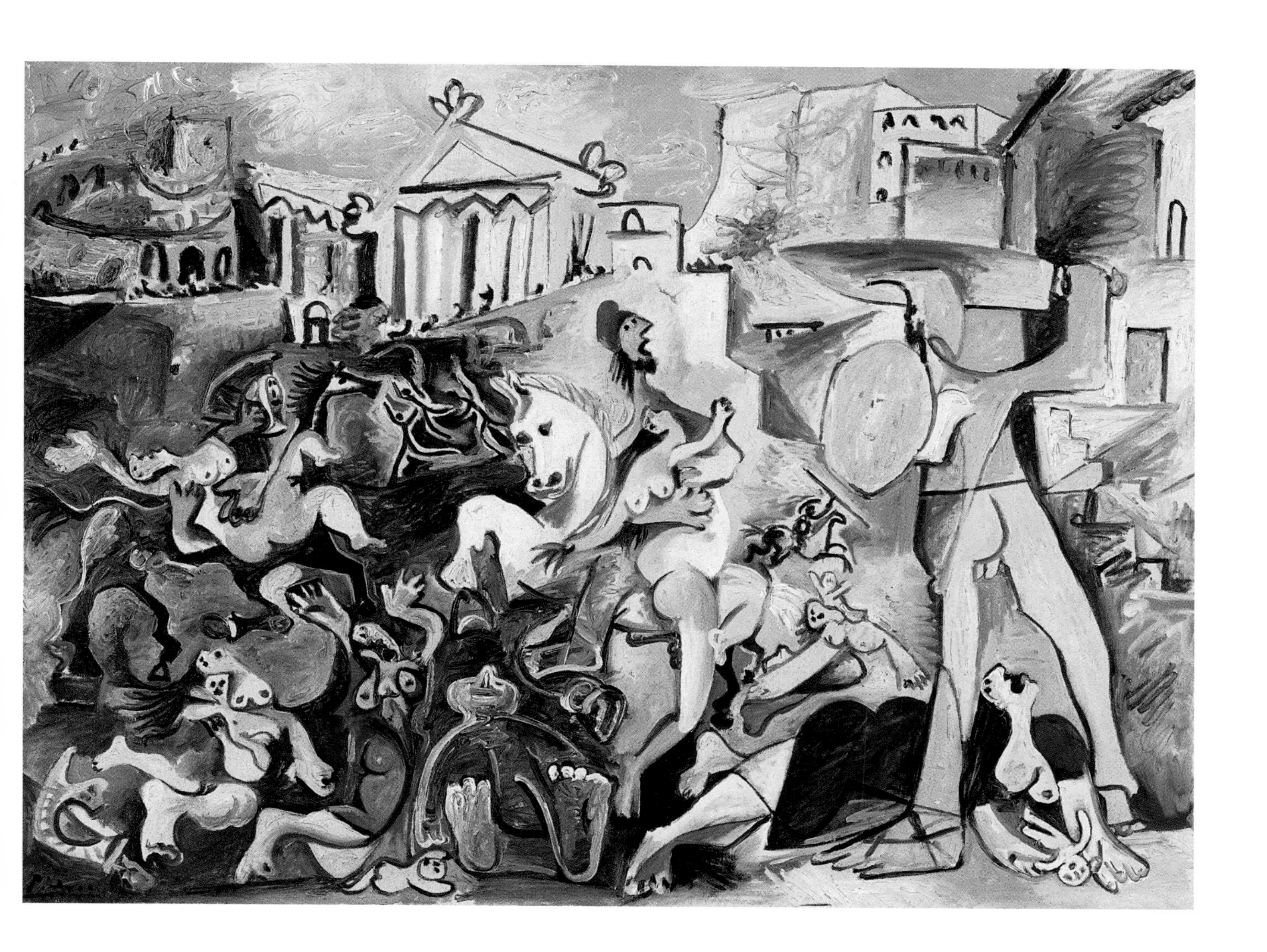

PABLO PICASSO
L'Enlèvement des Sabines, Mougins, 4-8 novembre 1962
Huile sur toile, H. 97 cm ; L. 130 cm
Paris, Centre Pompidou, musée national d'Art moderne,
don Daniel-Henry Kahnweiler, 1964

FORMES ET SYMBOLES

Natures mortes, vanités et *bodegones*

Le goût de Picasso pour la nature morte, qui perdura toute sa vie, tient à plusieurs facteurs. À l'époque du cubisme, Picasso s'inscrit comme le continuateur d'une tradition de la peinture moderne qui, depuis Cézanne, fait de ce genre, longtemps considéré comme mineur, le mode d'expression privilégié de la picturalité. Il est aussi l'héritier de la tradition espagnole des *bodegones*, ces natures mortes humbles et mystiques faites de quelques objets ordinaires. Enfin, la nature morte lui permet d'exprimer un certain nombre de thèmes récurrents et essentiels de son art : la nourriture, la présence du sacré dans les objets du quotidien, ou le cycle de la vie et de la mort, d'où les nombreux crânes et vanités qui jalonnent toute son œuvre et sont autant de *memento mori*, dédiés à ses amis disparus.

En 1908-1909, Picasso réalise des natures mortes simples et dépouillées composées de quelques vases, carafes, bols et fruits sur une table. Le découpage net des formes, favorisé par le jeu de l'ombre et de la lumière, leur confère une monumentalité, une rigueur et un mystère qui en font les dignes héritières de celles de Zurbarán, Sánchez Cotán ou Meléndez. Mais Picasso a aussi beaucoup observé Cézanne et les natures mortes de Chardin, comme en témoignent les quelques petits tableaux de pommes et poires de 1908, ou l'interprétation cubiste qu'il fit en 1921 du *Buffet* du musée du Louvre (*Chien et coq*, Yale University Gallery). En 1939, sentant la menace de guerre et souhaitant rendre compte du drame de la guerre civile espagnole, Picasso réalise une série de têtes de mouton d'après le tableau de Goya *Tête et carrés de mouton* (1808-1812). Qu'il s'agisse de la *Tête de mouton écorché*, faite à Royan en octobre 1939 ou des *Trois crânes* de Madrid (1939), on voit bien qu'il ne s'agit plus, comme chez le maître espagnol, de simples pièces de boucherie prétextes à peinture, mais de cris de douleur et de désespoir, matérialisés par une dentition menaçante et des couleurs de chair sanguinolente.

Le sacrifice du mouton renvoie à la tradition iconographique chrétienne et au chef-d'œuvre de Zurbarán, *Agnus Dei* (1635-1640). Les crânes humains vont être présents pendant toute la seconde guerre mondiale, soit seuls, soit juxtaposés à des symboles de vie comme le pichet. Cette iconographie classique avait déjà été reprise par Cézanne dans *Trois Crânes* (1898-1900).

Au milieu des années 1960, Picasso revient une dernière fois sur ce thème avec la somptueuse et monumentale nature morte *Chat et homard* (1962), qui n'est pas sans évoquer celle de Delacroix, *Nature morte au homard* du musée du Louvre.

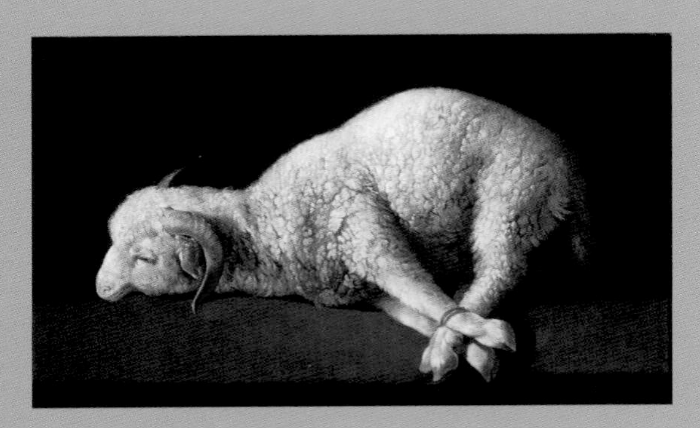

FRANCISCO DE ZURBARÁN
Agnus Dei, vers 1635-1640
Huile sur toile, H. 38 cm ; L. 62 cm
Madrid, Museo Nacional del Prado

FRANCISCO DE GOYA
Nature morte à la tête de mouton, 1808-1812
Huile sur toile, H. 45 cm ; L. 62 cm
Paris, musée du Louvre

PABLO PICASSO
Nature morte au crâne de mouton, Royan, 6 octobre 1939
Huile sur toile, H. 50,2 cm ; L. 61 cm
Mexico, Vicky and Marcos Micha Collection

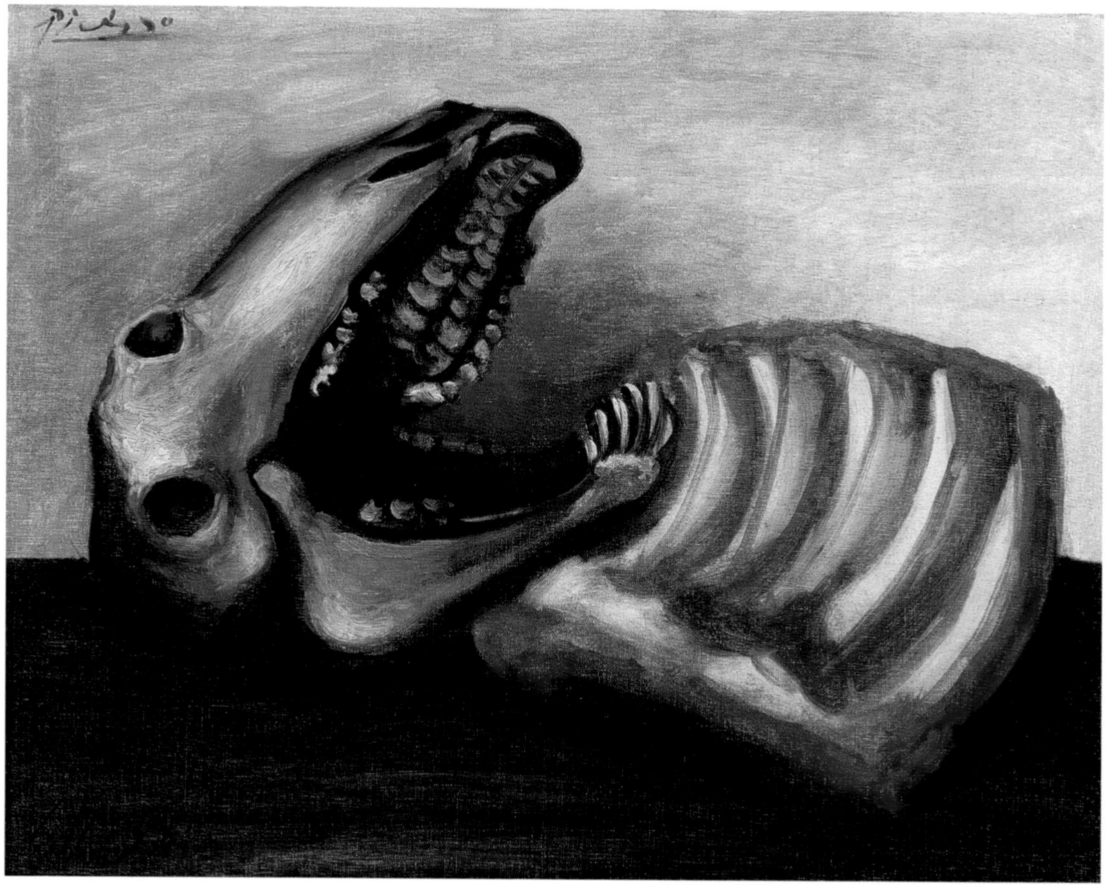
Picasso

« Quand on regarde les pommes de Cézanne, on voit qu'il a peint merveilleusement le poids de l'espace sur cette forme circulaire. La forme elle-même est un volume creux, sur lequel la pression extérieure est telle qu'elle produit l'apparence d'une pomme, même si celle-ci n'existe pas vraiment. C'est la poussée rythmique de l'espace sur cette forme qui compte. »

— FRANÇOISE GILOT ET CARLTON LAKE, *VIVRE AVEC PICASSO*, PARIS, CALMANN-LEVY, 1965, P. 209-210 —

PAUL CÉZANNE
Nature morte, poire et pommes vertes, vers 1873
Huile sur toile, H. 22 cm ; L. 32 cm
Paris, musée de l'Orangerie, collection Jean Walter et Paul Guillaume

PABLO PICASSO
Compotier aux poires et pommes, Paris, automne 1908
Peinture à l'essence sur panneau de bois, H. 27 cm ; L. 21 cm
Berlin, Neue Nationalgalerie, Sammlung Heinz Berggruen

FIGURES
Le Portrait de la peinture

En 1950, Picasso veut rendre hommage à Courbet. Il prend pour objet le chef-d'œuvre au cœur de la révolution perpétrée par le maître, *Les Demoiselles des bords de la Seine* (1857). En allant peindre sur le motif, Courbet s'attaquait au protocole de travail académique : peinture d'atelier, compositions basées sur des mises en scènes élaborées par morceaux, modèles comme autant de figurants figés dans leurs poses. En effet, les demoiselles endormies, rêveuses, indifférentes, réfutent la pose comme la scrutation du peintre. La jeune fille en blanc est « défaite » tant par le raccourci imposé par le point de vue rasant, relevant très haut la ligne d'horizon, que désarticulée par le sommeil. Picasso taille dans la masse du tableau pour ne retenir que la bande visuelle frôlant le jupon au premier plan jusqu'aux premières feuilles de l'arbre comblant le fond. Il coupe aussi sur les côtés pour cadrer serré mains et pieds. Sa toile a les dimensions exactes de ce tableau découpé, arrêté sur image. L'amas compliqué des jupons, broderies, fleurs, chapeau, est exprimé par un système losangéiforme qui dessine autant de facettes plates.

La *défiguration* constitue le véritable sujet de cette toile comme de la séquence de portraits féminins réunis ici. De l'un à l'autre, s'établit le principe des équivalences réglant les rapports entre des tableaux emblématiques de Goya, Manet, Ingres, Degas, le Douanier Rousseau ou Van Gogh et des toiles de Picasso peintes à différents moments de son œuvre. *Fernande à la mantille*, (1905), ou *Nusch Éluard* (1941), répondent aux grisailles légères, aux subtiles linéaments du masque comme au thème espagnol de *La Comtesse del Carpio, marquise de Solana* de Goya (1794-1795). *Grand nu au fauteuil rouge* (1929) dialogue avec *Madame Moitessier* (1856), d'Ingres, dans un complexe prisme d'images où la distorsion des corps les dédouble et les ramifie au piège des miroirs. Ingres encore, avec le dissonant *Portrait de Mademoiselle Rivière* (1793-1807), dont la tête vue de face, emmanchée sur le profil du corps menu, apparaît comme la vision lunaire d'un impossible et chimérique corps que les portraits d'*Olga au col de fourrure* (1923), ou *Olga* (1923), commentent dans leurs déformations délibérées en camaïeu de bruns et blancs de porcelaine. Métaphysique toile de Degas, *L'Absinthe* (1875), trempée dans la lueur tremblante et laiteuse d'un spleen oublieux de soi, de l'affaissement d'une existence incertaine dont Picasso donne une réplique tendue, violente, dans *La Buveuse d'absinthe* (1901), en phase aiguë de crispation identitaire. Austère portrait de *L'Arlésienne (Madame Ginoux)* (1888), peint en noir violacé et jaune par Van Gogh, où le grand deuil seul résiste à l'éblouissement solaire. En 1937, Picasso fait de ce portrait l'épicentre d'une grande variation picturale sur le thème de *L'Arlésienne*. Le kaléidoscope de la couleur y subvertit le modèle van goghien dont il démonte et remonte tous les éléments distinctifs dans un baroquisme euphorique. Picasso pourra dire « Après Van Gogh, nous sommes tous des autodidactes – on pourrait presque dire des peintres primitifs. La tradition ayant elle-même sombré dans l'académisme, nous devons recréer tout un langage. Et chaque peintre de notre temps est habilité à recréer ce langage de A à Z[1]. » Ici, les yeux, la bouche et les narines dansent une valse sémantique extravagante tandis que l'oreille piquée comme un nœud au côté devient le signe de l'infini, en hommage ému au « pauvre Van Gogh », mutilé. Profil perdu, vêture sombre comme un papier découpé sur le *all-over* d'un papier peint pour ce portrait intitulé *L'Automne (Méry Laurent)* [1881], de Manet dont Picasso s'attache à transposer le projet allégorique dans des portraits dédiés à Marie-Thérèse ou Dora Maar en 1938-1939. Sur des fonds monochromes constellé de stries, de fleurs, de signes, il inscrit de même les profils tranchants, anguleux ou curvilignes de ces créatures de peinture.

Enfin s'imposent, comme les cariatides de l'univers picassien, les statures colossales de deux magiciennes, la *Nana* (1870), de Manet, et *Portrait de femme* (1895), du Douanier Rousseau. Elles confondent leurs idiomes picturaux de « carte à jouer » comme leurs éthiques de scrupuleuse intelligence du monde, dans *Les Amoureux* (1919), de Picasso. Les trois grandes compositions fusionnent dans ce tableau plat, provocateur, où la dédicace à Manet auquel il emprunte le théâtre de ses décors et costumes, rencontre la silhouette mate, obstructive et têtue de *Portrait de femme*, toute de fixité et d'obsession.

Ainsi, de l'une à l'autre de ces toiles, l'innombrable litanie de « figures » peintes par Picasso forme sans conteste le plus original et le plus riche ensemble de portraits peints au XXe siècle. À travers les descriptions atypiques et empathiques de ses modèles, l'artiste s'y révèle un portraitiste de légende, divagant à la poursuite irraisonnée d'un portrait de la peinture que rien n'achève ni n'éteint.

1. Cité par Gilot (Françoise) et Lake (Carlton), *Vivre avec Picasso*, Paris, Calmann-Lévy, 1965, p. 67.

« Puis, un jour, vint un homme qui affirma : " Je ne veux pas peindre des anges, parce que je n'en ai jamais vu. " C'était Courbet. Il préférait représenter deux jeunes filles étendues sur les berges de la Seine. Il emmena ses modèles en plein air et les peignit. »

— FRANÇOISE GILOT ET CARLTON LAKE, *VIVRE AVEC PICASSO*, PARIS, CALMANN-LEVY, 1965, P. 278 —

GUSTAVE COURBET
Les Demoiselles des bords de la Seine, 1857
Huile sur toile, H. 174 cm ; L. 200 cm
Paris, musée du Petit Palais

PABLO PICASSO
Les Demoiselles des bords de la Seine d'après Courbet, 1950
Huile sur contreplaqué,
H. 100,5 cm ; L. 201 cm
Bâle, Kunstmuseum

VINCENT VAN GOGH
L'Arlésienne (Madame Ginoux), 1888
Huile sur toile, H. 92,3 cm ; L. 73,5 cm
Paris, musée d'Orsay

PABLO PICASSO
Portrait de Lee Miller en Arlésienne, 1937
Huile sur toile, H. 81 cm ; L. 65 cm
Paris, musée national Picasso, dation Jacqueline Picasso 1990.
En dépôt à Arles, musée Réattu

PABLO PICASSO
Olga au col de fourrure, 1923
Huile sur toile, H. 116 cm ; L. 80,5 cm
Paris, musée Picasso, dation Jacqueline Picasso 1990

JEAN-AUGUSTE-DOMINIQUE INGRES
Portrait de Mademoiselle Caroline Rivière, 1793-1807
Huile sur toile, H. 100 cm ; L. 70 cm
Paris, musée du Louvre

NUS

Vénus, Maja et Olympia

« Dire le nu comme il est » reviendrait pour Picasso, à inventer un répertoire de « signes » spécifiques à chacun des objets de la peinture. Son commentaire de l'échec de Rubens, ou de la réussite de Poussin, pourrait nous éclairer sur sa propre méthode : « Rien n'est *raconté* chez Rubens. C'est du journalisme, du film historique. Voyez Poussin, quand il peint Orphée, eh bien ! C'est raconté. Tout, la moindre feuille raconte l'histoire. Tandis que chez Rubens... Ce n'est même pas peint. Tout est pareil. Il croit peindre un gros sein en faisant comme ça [geste circulaire du bras], mais ce n'est pas un sein. Une draperie est comme un sein, chez lui, tout est pareil[1]. » Dire, raconter, en matière picturale, serait échapper au *style* du peintre qui, en uniformisant la transcription, occulterait l'expression de la *signifiance* brute qui traverse la peinture. Picasso pense en effet la peinture comme un langage natif, dont le fonctionnement empathique, mimétique, hypertélique, participerait de la nature même du monde. Le nu serait ce sujet limite imposé à la peinture. La tautologie originelle, le *nu est un nu*, où signifié et signifiant se recouvrent l'un l'autre entièrement, délivre le corps des apparences et le réduit à sa plus simple formulation. Grâce à lui, l'artiste pourrait parvenir à se ressaisir de la peinture comme de lui-même. Picasso regarde « les signes » élaborés par les maîtres comme autant de stratégies pour résoudre cette énigme fondatrice de la peinture.

« L'image de la femme que donne Raphaël n'est qu'un signe. Une femme de Raphaël n'est pas une femme, c'est un signe qui, dans son esprit et dans le nôtre, représente une femme[2]. » Ainsi, Picasso regarde Titien dont la *Vénus se divertissant avec l'Amour et la Musique* juxtapose avec une incongruité véritablement iconoclaste un portrait contemporain de l'organiste Alessandro degli Organi et une évocation de Vénus, où la muse des arts, sous le regard scrutateur du musicien, appert et se confond avec un *nu de nu*. Une composition « idiote » comme toutes les peintures de musée, selon Picasso « et pourtant c'est magnifique[3] ». Picasso regarde Goya. La *Maja desnuda*, comme son double, la *Maja vestida*, fut commandé au peintre par Godoy, amant de la reine, qui le protégea des attaques de l'Inquisition lorsque le tableau fut dénoncé comme « obscène » en 1815. Depuis la *Vénus au miroir* de Vélasquez, cette œuvre est la première en Espagne à oser traiter d'un tel sujet. Chez Goya, le nu expose au sens propre sa nudité, sans prétexte, mise en scène ou travestissement. Déformé par le raccourci, étiré par la posture des bras repliés sur la tête, à la fois lascif et indifférent, ce nu mince darde deux seins, deux yeux insinuant vers le peintre. Construction de « signes » sans précédents, ce nu, d'autant plus nu que son double habillé le dévêt irrémédiablement comme dans une séquence cinématique rêvée, devient l'emblème de la nudité en peinture. Et Goya d'affirmer qu'il ne se reconnaissait que trois maîtres « Vélasquez, Rembrandt et la nature ». Picasso regarde Manet s'éprenant de Goya dans *Olympia*. « Bijou rose et noir », comme le décrit Baudelaire, *Olympia* fait scandale. Manet, grand découvreur de l'art espagnol, condense dans le tableau les recherches de Vélasquez et de Goya et les combine à celles de Giorgione et Titien. Au premier, il reprend le geste de vierge pudique de sa *Vénus endormie* (vers 1509). Au second, il emprunte ce même geste aussitôt démenti par le regard direct de la muse de la *Vénus d'Urbino* de Titien. Les Amours qui enlacent ou contemplent les Muses, le petit chien de la *Vénus d'Urbino*, le chat noir érectile d'*Olympia*, forment eux aussi une chaîne d'indices seconds distillant en contrepoint leurs commentaires délibérément prosaïques. Picasso regarde ces nus « se dirent » dans la peinture comme ils ne l'avaient jamais fait auparavant. À l'instar de Manet avec *Olympia*, il va se faire l'héritier de ses prédécesseurs dans un important ensemble de grands nus peints entre 1964 et sa mort. Dialoguant avec l'un ou l'autre de ces tableaux majeurs, parfois avec plusieurs d'entre eux et en pensant à bien d'autres dont un détail, une posture le hante, il en commente la couleur, l'architecture des gestes, les murmures. « Dire le nu comme il est » dans l'hellénistique *Pisseuse* qui emprunte, innocente et provocatrice, son geste comme son profil d'ombre perdu à *La Femme se baignant dans une rivière (Hendrickje Stoffels)* de Rembrandt. Ou encore dans le dessin tramé du *Nu couché* transposant la décoloration de l'image piégée au miroir noir de l'*Odalisque en grisaille* d'Ingres. *Grande odalisque* d'Ingres aussi dont il fit des études iconoclastes[4] en 1907, au moment même où *Olympia* était enfin reçue par le Louvre après deux décennies de violent débat. Ainsi, « dire le nu comme il est » fut pour Picasso une mission bien plus qu'une obsession, dont il nourrit son œuvre entier car pour lui, le *nu* se confondait avec la substance même de la peinture.

1. Propos de Picasso (*29 bis, rue d'Astorg, 10 décembre 1936)* cités par Kahnweiler (Daniel-Henry), « Huit entretiens avec Picasso », *in Le Point*, Mulhouse, n°XLII (octobre 1952), p. 22-30.
2. Warnod (André), « "En peinture tout n'est que signe", nous dit Picasso », *in Arts*, Paris, n°22, 29 juin 1945.
3. Propos de Picasso (Cannes, 8 juillet 1957) cités par Kahnweiler (Daniel-Henry), « Gespräche mit Picasso », *in Jahresring 59 / 60*, Stuttgart, 1959.
4. *Odalisque d'après Ingres*, été 1907, encre bleue et gouache sur traits au crayon graphite sur papier, Paris, musée Picasso, MP 545

« Je veux DIRE le nu. Je ne veux pas faire un nu comme un nu. Je veux seulement DIRE sein, DIRE pied, DIRE main, ventre. Trouver le moyen de le DIRE, et ça suffit. Je ne veux pas peindre le nu de la tête aux pieds. Mais arriver à DIRE. Voilà ce que je veux. Un seul mot suffit quand on en parle. Ici, un seul regard, et le nu te dit ce qu'il est, sans phrases. »

— HÉLÈNE PARMELIN, *PICASSO DIT...*, PARIS, ÉDITIONS GONTHIER, 1966, P. 111 —

FRANCISCO DE GOYA
Maja desnuda, 1797-1800
Huile sur toile, H. 97 cm ; L. 191 cm
Madrid, Museo Nacional del Prado

PABLO PICASSO
Nu couché et homme jouant de la guitare,
Mougins, 27 octobre 1970
Huile sur toile, H. 130 cm ; L. 195 cm
Paris, musée Picasso, dation Pablo Picasso 1979

TITIEN (TIZIANO VECELLIO, DIT)
Vénus se divertissant avec l'Amour et la Musique, vers 1548
Huile sur toile, H. 149 cm ; L. 217,7 cm
Madrid, Museo Nacional del Prado

JEAN-AUGUSTE-DOMINIQUE INGRES
Odalisque en grisaille, 1824-1834
Huile sur toile, H. 83,2 cm ; L. 109,2 cm
New York, The Metropolitan Museum of Art,
Catharine Lorillard Wolfe Collection, Wolfe Fund, 1938

PABLO PICASSO
Nu couché, Mougins, 2 novembre 1969
Huile sur toile, H. 130 cm ; L. 195 cm
Collection particulière

CRÉDITS PHOTOGRAPHIQUES

Arles © musée Réattu : p. 39
Bâle © Kunstmuseum Basel, Martin Bühler : p. 37; © Sammlung Beyeler, Basel : p. 29
Barcelone © Museu Picasso. Barcelona/Gasull Fotografia : p. 5, p. 16, p. 24, p. 25,
© Museu Picasso. Barcelona/Ramon Muro : p. 17
Berlin BPK, Berlin, Dist. RMN/© Photographe inconnu : p. 35
Florence © 1995 Photo Scala, Florence : p. 16 ; Madrid, Prado © 1990.
Photo Scala, Florence : p. 43 ; Madrid, Prado © 1995. Photo Scala, Florence : p. 32
Hartford © Wadsworth Atheneum Museum of Art : p. 23
Liège © Musée d'Art moderne et contemporain de la Ville de Liège : p. 13
Londres © National Gallery, London : p. 20 ; © National Gallery, London, UK/
The Bridgeman Art Library : p. 15
Marseille Musée des Beaux-Arts / © Jean Bernard : p. 9
New York Metropolitan museum, Dist. RMN/ © Image of the Metropolitan Museum of Art : p. 46
Paris © Erich Lessing/akg-images : p. 18 ; © Petit Palais/Roger-Viollet : p. 36 ;
© Photo RMN/Jean-Gilles Berizzi : p. 44, Gérard Blot : p. 38, p. 40, Harry Bréjat : p. 28,
Béatrice Hatala : p. 9, Thierry Le Mage : p. 23, p. 30, Hervé Lewandowski : p. 6, p. 27, p. 34,
René-Gabriel Ojéda : p. 10, p. 41, Franck Raux : p. 11, p. 33 ; Photo CNAC/MNAM Dist. RMN/
© C. Bahier/P. Migeat : p. 31 ; © Musée d'Art Moderne/Roger-Viollet : p. 14

Collections particulières © Francisco Armando Kochen Beristain : p. 33 ; © Fundacion Almine
y Berbard Ruiz-Picasso para el Arte. Photo : Marc Domage : p. 19 ; © Nahmad Collection : p. 27 ;
tout droits réservés : p. 6, p. 7, p. 21, p. 47

Directeur des éditions
Pierre Vallaud

Chef du département du livre
Catherine Marquet

Responsable d'édition
Nicolas Chirat

Conception graphique
Bernard Lagacé

Relecture
Yseult Pelloso

Responsable de fabrication
Hugues Charreyron

Photogravure
IGS

Cet album a été achevé d'imprimer en France,
sur les presses de l'imprimerie Mame à Tours.

1er dépôt légal : septembre 2008
Dépôt légal : octobre 2008
ISBN : 978-2-7118-5523-0
EA 10 5523